¡Empieza coloreando!

Este libro
pertenece a:

Empiezas a
leerlo el día:

© 2001 Editorial LIBSA
San Rafael, 4
28108 Alcobendas (Madrid)
Teléf.: 91 657 25 80
Fax: 91 657 25 83
e-mail:libsa@libsa.es
www.libsa.es

ISBN: 84-7630-777-2
D.L.: B-1635-01

Aladino y
la lámpara
maravillosa

Aladino era un joven, huérfano de padre, que vivía en una ciudad de Oriente Medio. Al morir su padre, un pobre sastre, su madre no tuvo más remedio que ponerse a trabajar para salir adelante.

La buena mujer estaba tan ocupada y tan cansada que apenas veía a su hijo. Aladino crecía en las calles sin oficio ni beneficio.

Una tarde, mientras jugaba en el mercado,
se le acercó un anciano que parecía conocerlo,
le preguntó por su padre, el sastre Mustafá.

Al saber de su muerte, el anciano, que en realidad era un mago africano, lloró y dijo:
—Soy tu tío Salim y tu padre era mi hermano. Llévame ante tu madre.

Aladino llevó a su supuesto tío a casa, donde Salim convenció a la viuda de sus buenas intenciones ordenando traer una suculenta cena. Durante la misma, el anciano dijo:
—Veo que sois muy pobres, pero supongo que Aladino sabrá ya algún oficio.

Avergonzado, Aladino calló y
su madre habló por él:
—No sabe nada, sólo anda
por la calle con sus amigos.
—Pero eso no está bien. Ven
conmigo a la India y te
ayudaré luego a poner una
tienda de ricas telas.

A la mañana siguiente emprendieron el largo camino a lomos de dos hermosos camellos. Viajaron hasta que se hizo de noche y pararon para reponer fuerzas.

De repente, ante los asombrados ojos del muchacho, el mago pronunció un hechizo y de la tierra surgió una especie de losa con una anilla.

Aladino, atemorizado, quiso huir, pero
el mago le tranquilizó diciendo:
—Si obedeces no te pasará
nada y serás recompensado.
Ahí debajo hay un tesoro,
así que levanta la losa.
Con todas sus fuerzas,
Aladino tiró de la anilla
y abrió la losa.

Ante sus ojos apareció un precioso jardín repleto de maravillosos tesoros.

Entonces el anciano le ordenó:
—Al final del jardín encontrarás
una lámpara de aceite, traémela.

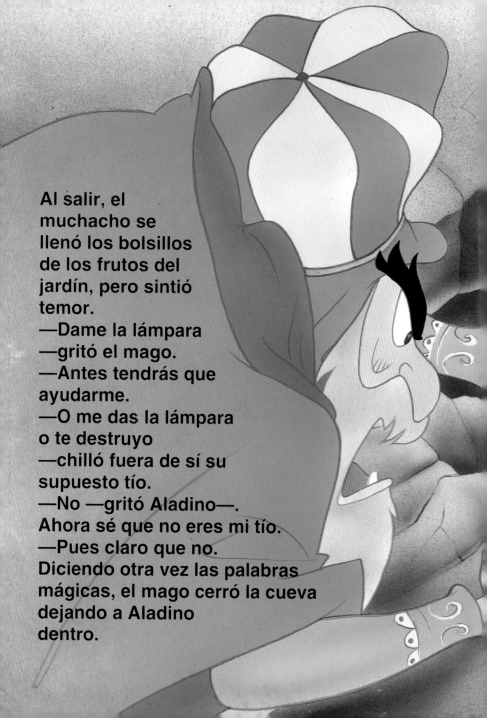

Al salir, el
muchacho se
llenó los bolsillos
de los frutos del
jardín, pero sintió
temor.
—Dame la lámpara
—gritó el mago.
—Antes tendrás que
ayudarme.
—O me das la lámpara
o te destruyo
—chilló fuera de sí su
supuesto tío.
—No —gritó Aladino—.
Ahora sé que no eres mi tío.
—Pues claro que no.
Diciendo otra vez las palabras
mágicas, el mago cerró la cueva
dejando a Aladino
dentro.

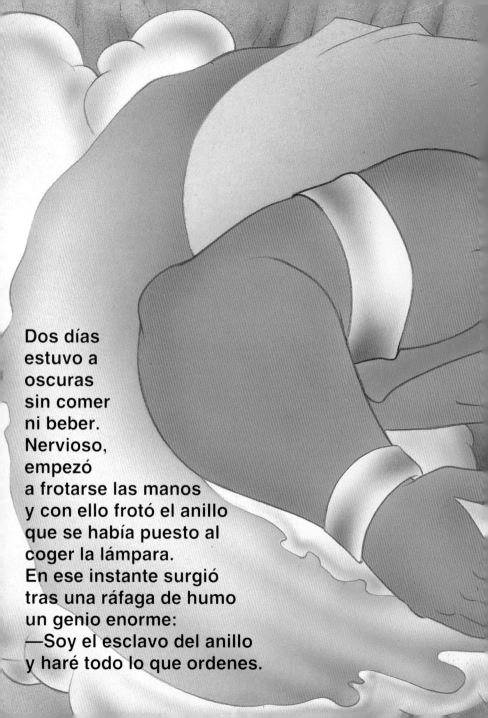

Dos días
estuvo a
oscuras
sin comer
ni beber.
Nervioso,
empezó
a frotarse las manos
y con ello frotó el anillo
que se había puesto al
coger la lámpara.
En ese instante surgió
tras una ráfaga de humo
un genio enorme:
—Soy el esclavo del anillo
y haré todo lo que ordenes.

—Sácame de aquí —dijo Aladino.
En el acto, el genio transportó
al joven hasta su casa.

A la mañana siguiente, Aladino
contó a su madre lo ocurrido y le
enseñó el anillo y la lámpara.

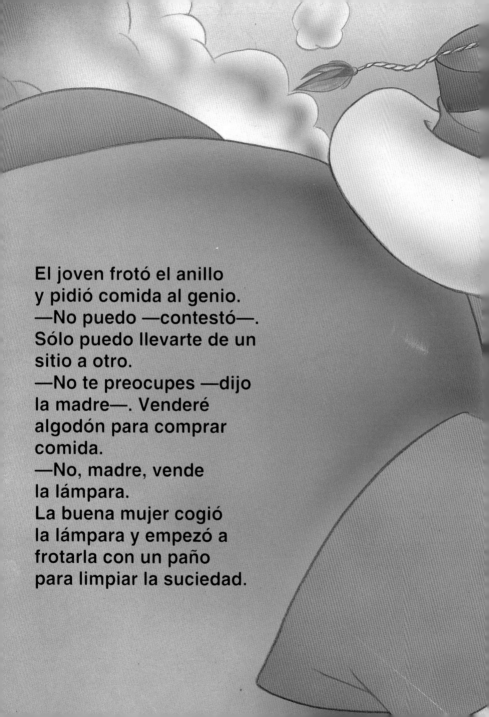

El joven frotó el anillo
y pidió comida al genio.
—No puedo —contestó—.
Sólo puedo llevarte de un
sitio a otro.
—No te preocupes —dijo
la madre—. Venderé
algodón para comprar
comida.
—No, madre, vende
la lámpara.
La buena mujer cogió
la lámpara y empezó a
frotarla con un paño
para limpiar la suciedad.

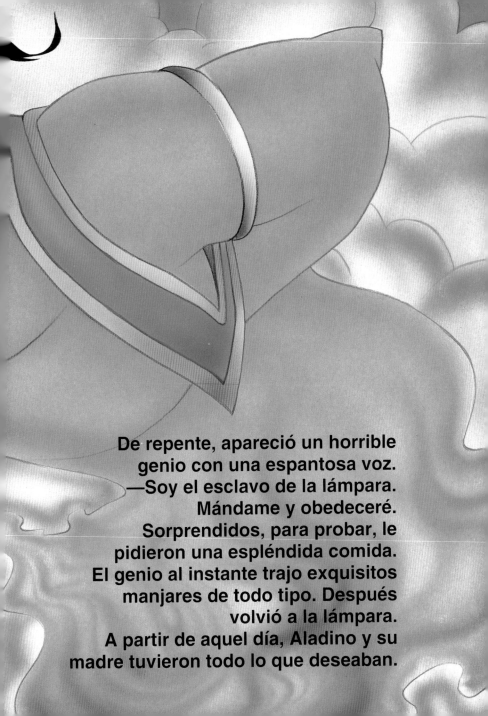

De repente, apareció un horrible
genio con una espantosa voz.
—Soy el esclavo de la lámpara.
Mándame y obedeceré.
Sorprendidos, para probar, le
pidieron una espléndida comida.
El genio al instante trajo exquisitos
manjares de todo tipo. Después
volvió a la lámpara.
A partir de aquel día, Aladino y su
madre tuvieron todo lo que deseaban.

Aladino comenzó a ir al mercado
para aprender el oficio de comerciante.
Allí se dio cuenta de que los frutos que
había cogido del jardín donde encontró
la lámpara eran en realidad piedras
preciosas.
Paseando por las calles vio pasar
a la hermosa hija del sultán rodeada
de guardias.

La belleza de la princesa, deseada por reyes y príncipes, deslumbró tanto al joven Aladino que se enamoró.

Cuando llegó a casa pidió a su madre que
fuera a pedir al sultán la mano de la princesa.
—Hijo, estás loco —replicó la madre.
Para convencerla, Aladino enseñó a su madre
las piedras preciosas con la esperanza de que
agradarían al sultán. La madre accedió
a los deseos de su hijo y vestida con sus
mejores galas fue a palacio
con las piedras
para transmitirle
al sultán
la petición
de su hijo.

—Si tu hijo construye antes de mañana un espléndido palacio, consentiré esta boda —dijo el sultán.

Aladino, en su habitación, frotó la lámpara hasta que apareció el genio. Le pidió que levantará un palacio de mármol y piedras preciosas con un bello jardín.

Al día siguiente, el sultán quedó impresionado al ver el fastuoso palacio de Aladino.

Días después, se celebró la boda
de Aladino con la princesa y empezaron
felices una nueva vida.
Pero, en África, el malvado mago ya
se había enterado de que Aladino
no murió en la cueva y que tenía la
lámpara maravillosa.
Furioso, emprendió viaje a Oriente.

Nada más llegar a la ciudad,
compró lámparas nuevas
y se fue al palacio.
—¿Quién cambia lámparas
nuevas por viejas? —iba
diciendo.
La princesa, que estaba en el
balcón, escuchó al anciano
y recordando la lámpara vieja
y sucia de Aladino se la ofreció
sin dudarlo.

El mago se la cambió rápidamente
y se fue al bosque.
Al llegar la noche,
hizo aparecer
al genio.
—Deseo que me
lleves, junto
con el palacio
y la princesa,
a África.

El genio arrancó el palacio del suelo
y levantándolo con sus fuertes brazos
emprendió el vuelo con el
mago agarrado a su cuello.

Nada más enterarse el sultán del terrible suceso la cólera se apoderó de él y mandó arrestar a Aladino, sospechando que en realidad era brujo.

El joven fue a ver a su suegro y le contó su desgraciada aventura con el mago africano.

—Te perdonaré la vida si antes de cuarenta noches y cuarenta días me devuelves a mi hija —le dijo el sultán.

Aladino estaba desesperado. Pero entonces se acordó del genio del anillo. Haciéndole aparecer le ordenó que le llevara a África junto a la princesa.

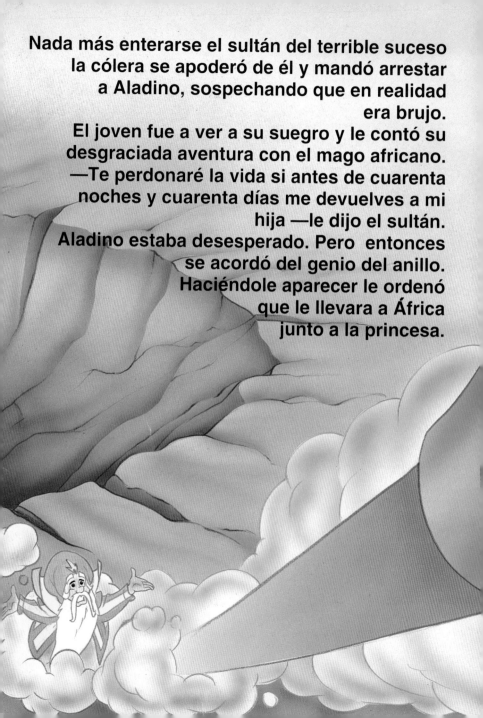

El genio obedeció y, casi sin darse cuenta, Aladino se encontró en los dominios donde el malvado mago tenía secuestrada a su esposa.

El joven encontró a su amada llorando y después de consolarla le contó todo lo sucedido.

—¿Dónde está la lámpara ahora? —preguntó a la princesa.

—El malvado no se separa de ella ni un momento.

Entre los dos elaboraron un plan para recuperar la lámpara. La princesa invitó al mago a cenar. Este, embriagado por la belleza de la muchacha se distrajo durante unos momentos.

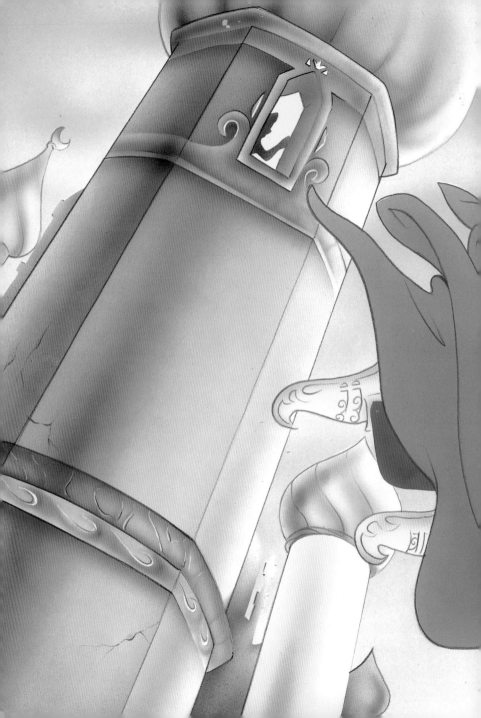

Entonces Aladino aprovechó para coger
la lámpara y lanzar al mago por el balcón
hacia una muerte segura. Hizo aparecer al
genio y le ordenó que los devolviera a Oriente
junto al palacio.

El sultán organizó una semana entera de festejos.

Aladino llegó a reinar en Oriente y fue feliz con la princesa muchos años.

Has terminado
tu lectura el día:

¿Qué personaje
te ha gustado
más?

Saca una conclusión de este cuento:

Has llegado al final.